Vocabulary & Grammar Book

세종 한국어

어휘·표현과 문법

4B

차례

1부

Vocabulary

어휘와 표현

01 어휘와 표현	VOCABULARY	뭐든지 적극적인 데다가 유머 감각도 있어요
한국어	ENGLISH	예문
외향적이다	extroverted	안나는 성격이 활발하고 아주 외향적이에요.
내성적이다	introverted	저는 혼자 집에 있는 것을 좋아하는 내성적인 성격이에요.
적극적이다	active	동생은 사람들을 만나는 것을 좋아하고 무슨 일이든지 먼저 나서는 적극적인 성격이에요.
소극적이다	passive	그 사람은 자신의 의견을 잘 표현하지 않는 소극적인 성격이에요.
자신감이 있다	confident	이제 자신감 있게 실행에 옮기기만 하면 돼.
자신감이 없다	lose confidence	일이 계속 실패하니까 점점 자신감이 없어져요.
성실하다	faithful, sincere	그 사람은 성실해서 언제나 맡은 일을 열심히 해요.
불성실하다	insincere	그 사람은 언제나 회사 일에 불성실하다.
책임감이 있다	responsible	저희 회사는 책임감을 가지고 성실하게 일할 사람을 찾고 있습니다.
책임감이 없다	irresponsible	그 사람은 책임감이 없어서 자신이 맡은 일을 열심히 하지 않아요.
급하다	in a hurry	저는 항상 일을 급하게 하는 바람에 실수가 많은 편이에요.
느긋하다	have a laid-back personality	저는 성격이 좀 느긋한 편이라서 뭘 하든지 여유를 가지고 하는 편이에요.
유머 감각이 있다	have a sense of humor	어떻게 저렇게 재미있게 말할 수 있을까? 미라 씨 유머 감각은 따라갈 수가 없어.
유머 감각이 없다	have no sense of humor	저는 유머 감각이 없어서 무슨 말을 해도 재미가 없어요.

02 어휘와 표현	VOCABULARY	처음 만났을 때는 얌전한 성격인 줄 알았거든
한국어	ENGLISH	예문
밝다	bright	유진은 표정이 밝아서 처음 만나는 사람들에게 인상이 좋다는 칭찬을 자주 듣는다.
어둡다	dark	안나 씨의 어두운 표정을 보고 안 좋은 일이 생겼다는 것을 알 수 있었다.
얌전하다	quiet	제 동생은 항상 시끄럽지 않고 얌전한 편이에요.
날카롭다	sharp	그의 날카로운 표정을 보니 무서운 성격인 것 같아요.
부드럽다	gentle	선배가 정말 따뜻한 마음을 가진 아주 부드러운 사람이라는 것을 알게 되었다.
낯을 가리다	shy of strangers	안나는 낯을 가리지 않는 편이어서 새로운 사람 만나는 것을 좋아한다.
차갑다	cold	그는 차가운 첫인상 때문에 사람들에게 무뚝뚝한 사람처럼 보인다.
고집이 세다	stubborn	그는 자기주장이 강하고 고집이 센 사람이라서 부모님과 갈등이 심하다.
자신감이 넘치다	full of confidence	그 선수는 항상 경기가 시작하기 전에 자신감이 넘치는 모습을 보여 준다.
사교적이다	sociable	그녀는 사교적인 사람이라서 새로운 사람을 만나는 것을 좋아한다.

03 어휘와 표현	VOCABULARY	사업을 시작할까 아니면 회사에 취직할까 고민이야
한국어	ENGLISH	예문
진로를 정하지 못하다	can't decide on a career path	저는 아직 졸업 후 진로를 정하지 못했어요.
직장 생활이 맞지 않다	work life doesn't fit	저는 직장 생활이 맞지 않는 것 같아요.
업무량이 너무 많다	have too much work to do	요즘에 회사에서 업무량이 너무 많아서 힘들어요. 일이 끝나지를 않아요.
인간관계가 어렵다	have difficulty in human relationships	회사에서 인간관계가 어려워요. 회사 사람들하고 잘 맞지 않는 것 같아요.
미래가 불안하다	future is uncertain	저는 앞으로 어떻게 살아야 될까요? 이유 없이 미래가 불안해요.
경제적인 상황이 좋지 않다	financial situation is not good	경제적인 상황이 좋지 않아서 여행을 미뤄야 할 것 같아요.
실력이 늘지 않다	have no improvement in one's ability	한국어 공부를 열심히는 하는데 실력이 늘지 않아서 고민이에요. 어떻게 하면 빨리 좋아질까요?
연애를 하고 싶다	want to date, want to be in a relationship	연애를 하고 싶어요. 그런데 어떻게 해야 애인을 만날 수 있을까요?

04 어휘와 표현	VOCABULARY	그때 그 꿈을 포기하지 말았어야 했는데
한국어	ENGLISH	예문
신중하게 결정하지 못하다	can't decide carefully	한번 결정하면 바꾸기 어려운데 그땐 제가 너무 어려서 신중하게 결정하지 못했어요.
최선을 다하지 못하다	don't do one's best	실패했다는 사실보다 제가 할 수 있는 최선을 다하지 못했다는 것이 더 속상했어요.
너무 쉽게 포기하다	give up too easily	힘들어도 너무 쉽게 포기하지 마세요!
실수를 저지르다	make a mistake	경기 도중에 우리 팀이 여러 번 실수를 저질러서 상대편이 쉽게 승리했어요.
기회를 놓치다	miss an opportunity	망설이지 말고 빨리 신청하세요. 이런 기회를 놓치면 틀림없이 후회할 거예요.
화를 참지 못하다	can't stand anger	나는 순간 화를 참지 못해서 친구에게 소리를 질렀어요.
부탁을 거절하지 못하다	can't refuse a request	저는 부탁을 잘 거절하지 못하는 편이에요.
다른 사람에게 상처를 주다	hurt others	다른 사람에게 상처를 주지 않으려고 말을 조심해서 했어요.
다른 사람의 시선을 너무 신경 쓰다	care too much about other people's eyes	저는 얼마 전에 발표할 때 다른 사람의 시선을 너무 신경 쓰느라고 준비한 것을 제대로 하지 못했어요.
다른 사람에게 잘해 주지 못하다	fail to be nice to others	생각해 보면 다른 사람에게 잘해 주지 못한 것들이 너무 후회돼요.

05 어휘와 표현	VOCABULARY	40대는 청소년들에 비해서 결혼을 해야 한다는 응답이 많았습니다
한국어	ENGLISH	예문
아동	child	초등학교 근처에서 운전할 때에는 자전거를 타는 아동을 주의해야 한다.
청소년	teenager	중고등학교에 다니는 청소년들은 친구들과의 관계를 매우 중요하게 생각한다.
사춘기	puberty	동생은 사춘기에 접어들면서 부모님께 자주 반항한다.
청년	youth	정부는 고등학교를 졸업한 청년들의 실업 문제를 해결하기 위해 노력하고 있다.
중년	middle-aged person	등산은 한국 중년들의 대표적인 취미라고 할 수 있다.
노인	old person	젊은 사람들이 도시로 나가고 시골에는 노인들만 남아 있다.
구세대	old generation	구세대는 나이가 많으며 이전의 생각을 계속 가지고 있는 집단이다.
신세대	new generation	우리 부모님은 나이는 많으시지만 생각하시는 건 신세대 같아요.
보수적	conservative	나는 새로운 방식보다는 오래된 방식을 좋아하는 보수적인 사람이다
개혁적	reformative, innovative	새로운 시대에 적응하기 위해서는 개혁적인 방향으로 회사를 이끌 사람이 필요하다.

06 어휘와 표현	VOCABULARY	식당에서 직원을 어떻게 부르는지 알아요?
한국어	ENGLISH	예문
웃어른을 존경하다	respect elders	한국에서는 나이 많은 사람들의 경험과 지혜를 중요하게 생각하고 웃어른을 존경하는 문화를 가지고 있다.
정이 많다	be warmhearted	그는 냉정한 반면에 그의 아내는 매우 정이 많다.
'나'보다 '우리'를 중요하게 생각하다	value 'us' more than 'me'	"한국어에서는 '내 집', '내 가족'처럼 말하지 않고 '우리 집', '우리 가족'으로 표현한다. '나'보다 '우리'를 중요하게 생각하는 문화 때문이다."
집 안에서 신발을 벗고 생활하다	not wearing shoes while being at home	한국에서는 집 안에서 신발을 벗고 생활하기 때문에 보통 현관에서 신발을 벗고 들어간다.
숟가락과 젓가락을 사용하다	use a spoon and chopsticks	한국 사람들은 숟가락과 젓가락을 사용해서 밥을 먹는다.
어른이 먼저 수저를 드신 후에 식사를 시작하고 식사 속도를 맞추다	after the elders pick up spoons and chopsticks, start eating and adjust your eating speed to them	한국에서는 어른이 먼저 수저를 드신 후에 식사를 시작하고, 식사할 때는 어른과 식사 속도를 맞추는 것이 식사 예절이다.
반말과 높임말이 있다	there are informal and honorifics	한국어에는 반말과 높임말이 있다. 보통 나이가 많거나 처음 만나는 사람에게 높임말을 쓴다.
가족을 부르는 말이 다양하다	there are many different ways to call family	한국어에는 '형, 누나, 오빠, 언니'처럼 가족을 부르는 말이 다양하다.
소리나 모양을 나타내는 표현이 많다	there are many expressions that describe sounds or shapes	한국어의 특징 중 하나는 소리나 모양을 나타내는 표현이 많다는 것이다.
지역 사투리가 있다	There are regional dialects	한국어에도 다른 언어처럼 특정 지역에서만 사용하는 지역 사투리가 있다.

07 어휘와 표현	VOCABULARY	저는 하늘길을 관리하는 일을 합니다
한국어	ENGLISH	예문
개발하다	develop	프로그래머는 컴퓨터 프로그램을 전문적으로 개발하는 일을 합니다.
분석하다	analyze	저는 한국 아이돌의 성공 요인을 분석해 보고 싶어요.
관리하다	manage	영화가 만들어지기까지의 일정을 꼼꼼하게 관리해 줄 사람도 필요하다.
제작하다	produce	프로듀서는 사람들이 좋아할 만한 방송을 제작하는 일을 합니다.
창조하다	create	작가는 글을 통해 현실에 없는 새로운 세상을 창조해요.
연구하다	study, research	교수는 대학에서 학문을 가르치고 연구하는 일을 해요.
검사하다	examine, inspect	저는 제품의 안전성을 검사하는 일을 해요.
해결하다	solve, fix	기술자는 기계에 생긴 문제를 해결하는 일을 해요.
제공하다	provide	저희는 고객님들에게 최고의 서비스를 제공하기 위해 노력하고 있습니다.
홍보하다	advertise	저는 저희 회사 신제품을 에스엔에스(SNS)에 홍보하는 일을 하고 있어요.

08 어휘와 표현	VOCABULARY	삶에 대한 가르침을 줬다는 점에서 존경을 받습니다
한국어	ENGLISH	예문
세계 평화에 기여하다	contribute to world peace	그 사람은 세계 평화에 기여했다는 점에서 많은 사람의 존경을 받는다.
많은 사람의 생명을 구하다	save many lives	나이팅게일은 많은 사람의 생명을 구하기 위해 최선을 다한 결과 모든 간호사들의 모범이 되었다.
훌륭한 예술 작품을 남기다	leave a great work of art	빈센트 반 고흐는 사람들의 마음을 위로하는 훌륭한 예술 작품을 남긴 화가이다.
권리 보호에 앞장서다	take the lead in protecting one's rights	그는 아동이나 노인의 권리 보호에 앞장선 훌륭한 변호사이다.
새로운 물건을 발명하다	invent new things	에디슨은 평생 동안 수많은 새로운 물건을 발명하였다.
나라를 위기에서 구하다	save the country from crisis	그는 전쟁에서 적을 물리침으로써 나라를 위기에서 구한 인물이다.
몸소 실천하다	put into practice	그는 사랑과 용서를 몸소 실천한 것으로 유명하다.
백신을 개발하다	develop a vaccine	한 제약 회사가 전염병을 예방하는 백신을 개발하는 데 성공했다.
인간의 한계에 도전하다	challenge human limits	사막에서 하는 마라톤은 인간의 한계에 도전하는 운동이다.
일생을 바치다	dedicate one's life	레오나르도 다 빈치는 뛰어난 상상력으로 자신만의 그림을 그리는 것에 일생을 바쳤다.

09	어휘와 표현	VOCABULARY	갈수록 현금을 사용하는 사람들이 줄어들고 있습니다
한국어		ENGLISH	예문
늘어나다		increase	최근 혼자 사는 사람들이 늘어나고 있다.
줄어들다		decrease	갑자기 날씨가 추워지면서 수영장을 찾는 사람들이 줄어들었다.
증가하다		increase	농촌의 인구는 감소했으나 도시의 인구는 계속 증가하고 있다.
감소하다		decrease	카드로 결제하는 사람은 점점 감소하고 있다.
달라지다		change	시골로 이사를 오면서 내 생활도 달라지고 있다.
변화하다		change	물건을 살 때 결제하는 방법이 변화하고 있다.
점점		more and more, increasingly	과학 기술이 발달하면서 휴대폰의 기능이 점점 더 다양해지고 있다.
급격히		rapidly	현금으로 결제하는 사람이 급격히 감소하고 있다.
꾸준히		gradually	휴대폰으로 결제하는 사람은 꾸준히 증가하고 있다.

10 어휘와 표현	VOCABULARY	저는 인터넷에서 실명을 써야 한다고 생각해요
한국어	ENGLISH	예문
찬성하다	agree	많은 사람들이 그의 의견에 찬성했다.
동의하다	agree	저도 안나 씨 의견에 동의합니다.
반대하다	oppose, object, disagree	정책에 반대하는 사람들을 설득하는 것은 어려운 일이다.
맞다	correct, right	특히 나이가 어린 학생들은 무엇이 맞고 무엇이 틀린지를 정확하게 판단하는 것이 쉽지 않다.
틀리다	wrong	나와 상대방이 생각이 다르다고 해서 나는 맞고 상대방은 틀렸다고 생각하면 안 돼요.
적절하다	appropriate	요즘은 날씨가 시원하고 덥지 않아서 등산하기에 적절한 시기이다.
부적절하다	inappropriate	지금 상황에서 아까 한 말은 조금 부적절한 것 같습니다.
장점이 있다	have an advantage	이 집은 시끄럽기는 하지만 학교가 가깝다는 장점이 있다.
단점이 있다	have a drawback	누구에게나 단점이 있다.
부작용이 생기다	have side effects	갑자기 개혁을 실시하면 부작용이 생길 수 있다.

11	어휘와 표현	VOCABULARY	10년 후엔 행복한 가정을 이루고 있지 않을까 싶어요
한국어		ENGLISH	예문
진학하다		go on to school	요즘은 회사를 그만두고 대학원에 진학하는 사람들도 많다.
독립하다		become independent of	졸업하면 부모님에게서 경제적으로 완전히 독립할 거예요.
입사하다		join a company, get a job at a company	저는 한국어를 열심히 공부해서 한국계 회사에 입사할 거예요.
창업하다		start a business	졸업하면 친구들하고 작은 가게를 창업할 생각이에요.
도전하다		challenge	내년에는 지금 하고 있는 일을 그만두고 새로운 일에 도전하고 싶어요.
가정을 이루다		form a family	예전에는 결혼을 해서 가정을 이루는 것을 누구나 꼭 해야 하는 일이라고 생각하는 사람이 많았습니다.
출산하다		give a birth to a baby	얼마 전에 제 친구가 아이를 출산했어요.
아이를 기르다		raise children	옛날부터 부모님들께서는 아이를 기르는 일이 정말 중요한 일이라는 말씀을 해 주셨다.
은퇴하다		retire	60세에 회사를 은퇴하고 봉사 활동을 하면서 살고 싶습니다.
노후를 보내다		spend one's old age	나이가 들면 시골로 내려가서 조용한 노후를 보내고 싶어요.

12 어휘와 표현	VOCABULARY	벌써 졸업을 한다니! 믿기지가 않습니다
한국어	ENGLISH	예문
믿기지 않다	cannot believe it	다시는 그 친구의 모습을 볼 수 없다니. 믿기지 않아요. 그 친구가 그리울 거예요.
그립다	miss	가끔 어린 시절이 너무 그리워요.
아쉽다	feel sad, feel bad, feel sorry	몇 개만 더 맞았으면 시험에 합격했을 텐데. 너무 아쉬워요.
홀가분하다	feel light, feel relieved	시험이 끝나고 나니까 정말 홀가분해서 날아갈 것 같아요.
시원섭섭하다	bittersweet	공연이 끝나니까 시원섭섭해요. 공연 연습을 안 하는 것은 좋은데 이제 끝이라고 생각하니까 아쉬워요.
눈물이 앞을 가리다	tears cover one's eyes	대장정을 끝내는 날, 그동안의 시간이 머릿속에 스쳐 지나가며 눈물이 앞을 가렸다.
꿈만 같다	like a dream	내가 상을 받다니. 꿈만 같아요. 이게 진짜인지 믿을 수가 없어요.
마음이 설레다	excited	내일 기다리고 기다리던 여행을 갈 거예요. 마음이 설레서 잠이 안 와요
마음이 따뜻해지다	one's heart warms up	그 영화를 보고 나서 마음이 정말 따뜻해졌어요.
몸 둘 바를 모르겠다	I don't know what to do with myself	그렇게 칭찬을 해 주시니까 너무 부끄러워서 몸 둘 바를 모르겠네요.
걱정이 앞서다	worried about	앞으로 대학 생활을 어떻게 할지 걱정이 앞서요. 제가 잘할 수 있을까요?
부담스럽다	feel burdened	요즘 물가가 너무 올라서 시장에 갈 때마다 부담스러워요.

2부

Grammar

문법

-는/(으)ㄴ 데다가

의미 MEANING

앞의 내용에 뒤의 내용이 덧붙여짐을 나타낸다.

'-는/(으)ㄴ 데다가' expresses that the following content is added to the preceding one.

예문 EXAMPLE

- 그 사람은 항상 친절**한 데다가** 말을 재미있게 해서 인기가 많아요.
- 그 과일 가게는 과일을 싸게 파**는 데다가** 과일이 좋아요.
- 그 동네는 쇼핑할 곳이 많**은 데다가** 맛집이 많아요.
- 뭐든지 적극적**인 데다가** 유머 감각도 있어서 사람들한테 인기가 많은 것 같더라고요.
- 그 컴퓨터는 속도가 빠**른 데다가** 디자인이 예쁘다.
- 그 가수는 노래를 잘하**는 데다가** 작사와 작곡도 잘한다.
- 유리 씨는 착**한 데다가** 운동도 잘해요.
- 재민 씨는 운동도 잘하**는 데다가** 노래도 잘해요.
- 이 카페는 커피도 맛있**는 데다가** 음악도 좋아요.
- 그 친구는 성격이 좋**은 데다가** 다른 사람들을 잘 도와주는 편이에요.
- 이 가방은 가벼**운 데다가** 물건도 많이 들어가요.

-든지

의미 MEANING

어떤 것을 선택해도 차이가 없다는 것을 나타낼 때 쓴다. '-든'이라고도 할 수 있다.

'-든지' is used to express that there is no difference whether someone chooses whatever he / she wants. '-든' can also be used instead.

예문 EXAMPLE

- 내일 만나**든지** 모레 만나요.
- 지하철을 타**든지** 버스를 타요.
- 미술관에 가**든지** 박물관에 가요.
- 잠을 자**든지** 책을 읽**든지** 편히 쉬어요.
- 악기**든** 그림이**든** 취미로 배우면 즐거워요.
- 산에 가**든지** 바다에 가**든지** 어디로든 떠나요.
- 농구를 하**든지** 축구를 하**든지** 나가서 놀아요.
- 치마를 사**든지** 바지를 사요.
- 도서관에 가**든지** 서점에 가요.
- 뭘 하**든지** 여유를 가지고 하는 편이에요.
- 이쪽으로 가**든지** 저쪽으로 가든지 가는 시간은 별로 차이가 안 날 거예요.
- 뭐**든** 적성에 맞는 일을 하면서 사는 게 최고예요.

-는/(으)ㄴ/(으)ㄹ 줄 알다

의미 MEANING

앞 내용을 예상 또는 기대했지만 실제로 그렇지 않을 때 사용한다.

'-는/(으)ㄴ/(으)ㄹ 줄 알다' is used when a speaker expected something but it wasn't true.

형태/기능 FORM/FUNCTION

'-는/(으)ㄴ/(으)ㄹ 줄 모르다'는 '-는/(으)ㄴ/(으)ㄹ 줄 알다'와 달리 예상이나 기대를 하지 않았지만 실제로는 그러함을 나타낸다.

'-는/(으)ㄴ/(으)ㄹ 줄 모르다' is used when something unexpected turns out to be true unlik '-는/(으)ㄴ/(으)ㄹ 줄 알다.'

예문 EXAMPLE

- 주노 씨가 시험에 합격**할 줄 알았어요.**
- 도서관이 문을 닫았**을 줄 알았어요.**
- 선생님이 한국 사람**일 줄 알았어요.**
- 숙제가 많**을 줄 알았어요.**
- 늘 날씨가 따뜻**할 줄 알았어요.**
- 자동차가 비**쌀 줄 알았어요.**
- 농구를 잘**할 줄 알았어요.**
- 결혼**한 줄 알았어요.**
- 걔가 그렇게 키가 **큰 줄 몰랐어요.**
- 내일 시험이 있**는 줄 몰랐어요.**
- 그 사람이 외향적**인 줄 알았어요.**
- 밖에 비가 오**는 줄 알았어요.**

-던

의미 MEANING

말하는 사람이 회상하는 과거의 상황으로 뒤의 대상을 수식할 때 쓴다.

'-던' is used to mention a past experience and to modify the following noun.

예문 EXAMPLE

- 저 책상은 내가 어렸을 때 사용하**던** 책상이다.
- 우리 가족이 고향을 떠나**던** 날 눈이 많이 내렸다.
- 이 음료수는 한국에 처음 왔을 때 자주 마시**던** 거예요.
- 이 식당 음식은 내가 어릴 때 먹**던** 것하고 비슷한 맛이야.
- 내가 알고 있**던** 얼굴이 아니어서 깜짝 놀랐어.
- 학교에 가서 친구를 만나**던** 그때가 즐거웠어.
- 바다에서 뛰어놀**던** 어린아이가 아니야.
- 등산을 잘하**던** 친구였는데.
- 너는 내가 생각하**던** 것하고 많이 달라서 놀랐어.
- 초등학교 때 친하게 지내**던** 친구가 보고 싶어요.
- 제가 살**던** 곳은 바닷가의 작은 시골 마을이에요.

-(으)ㄹ까 -(으)ㄹ까

의미 MEANING

판단을 확신하지 못하거나 행동을 결정하지 못하여 망설임을 나타낼 때 쓴다.

'-(으)ㄹ까' is used to express hesitation when a speaker is not sure about his / her decision or has not made a decision about his / her action yet.

형태/기능 FORM/FUNCTION

어떤 일을 하거나 하지 않는 것 중에서 결정하지 못하여 망설임을 나타낼 때에는 '-(으)ㄹ까 말까'라고 표현할 수 있다.

'-(으)ㄹ까 말까' can be used to express hesitation when a speaker has not decided whether to do a particular thing or not.

예문 EXAMPLE

- 주말에 집에서 **쉴까** 친구를 만**날까** 아직 결정 못 했어요.
- 버스를 **탈까** 택시를 **탈까** 아직 결정 못 했어요.
- 이 옷을 입**을까** 저 옷을 입**을까** 아직 결정 못 했어요.
- 그 사람을 계속 만**날까** 이제 그만 만**날까** 아직 결정 못 했어요.
- 치킨을 먹**을까** 피자를 먹**을까** 결정하지 못 했어요.
- 세수를 먼저 **할까** 양치질을 먼저 **할까**?
- 회사를 옮**길까** **말까** 아직 결정을 못 했어요.
- 밥을 먹**을까** **말까** 고민하다가 그냥 참았어요.
- 오늘 운동**을 할까 말까**?
- 오늘 게임**을 할까 말까** 고민하고 있어요.
- 이렇게 하는 게 좋**을까** 저렇게 하는 게 좋**을까** 정말 모르겠어요.
- 그 친구에게 사실대로 얘기**할까 말까** 고민을 많이 했어요.

-지 그래요?

의미 MEANING

상대방에게 앞에 나오는 행동을 권유할 때 쓴다.

'-지 그래요?' is used to propose that the other person behaves as mentioned previously.

예문 EXAMPLE

- 일단 회사 다니면서 사업에 대해서는 천천히 생각해 보**지 그래요**?
- 먼저 옮길 만한 회사를 알아보**지 그래요**?
- 우선 숙제를 하고 놀**지 그래요**?
- 졸업하기 전에 먼저 진로를 정하**지 그래요**?
- 경제적인 상황이 좋지 않다면 아껴쓰**지 그래요**?
- 회사가 너무 멀면 이사하**지 그래요**?
- 몸이 아프면 쉬**지 그래요**?
- 한국어 실력을 늘리고 싶으면 한국어로 된 영상을 많이 보**지 그래요**?
- 적성 검사를 한번 해 보**지 그래요**?
- 자기 전에 따뜻한 우유를 좀 마셔 보**지 그래요**?

-았어야/었어야 했는데

의미 MEANING

과거에 앞에 나오는 일을 했으면 좋았을 거라고 생각하면서 후회나 아쉬움을 나타낼 때 쓴다.

'-았어야/었어야 했는데' expresses regret when a speaker thinks that he / she should have behaved as previously mentioned.

형태/기능 FORM/FUNCTION

뒤에 말줄임표를 붙여서 문장을 끝낼 때도 사용한다.

Additionally, an ellipsis can be added at the end of the sentence to close it.

예문 EXAMPLE

- 천천히 운전**했어야 했는데** 과속을 해서 교통사고가 났어요.
- 일찍 일어**났어야 했는데** 늦잠을 자서 약속 시간에 늦었어요.
- 조심**했어야 했는데** 계단에서 넘어져서 다리를 다쳤어요.
- 우유를 냉장고에 넣**었어야 했는데** 밖에 두어서 우유가 상했어요.
- 상한 음식을 먹고 배탈이 났어요. 먹기 전에 음식의 상태를 잘 살펴**봤어야 했는데**….
- 시험에 떨어졌어요. 좀 더 열심히 공부**했어야 했는데**….
- 말실수를 해서 친구가 화가 났어요. 좀 더 말을 조심**했어야 했는데**….
- 전공 선택을 좀 더 신중하게 했**어야 했는데**….
- 솔직하게 얘기**했어야 했는데** 그러지 못했어요.
- 화를 내지 말**았어야 했는데** 후회가 돼요.

-았을/었을 텐데

의미 MEANING

과거의 상황이나 행동이 달랐다면 앞에 나오는 내용의 일이 일어나거나 그런 상황이 되었을 것이라고 생각할 때 쓴다.
주로 후회나 아쉬움을 나타낸다.

'-았을/었을 텐데' is used to express regret when a speaker thinks that if the past was different, the action or the situation as previously mentioned would have happened.

예문 EXAMPLE

- 조금 일찍 왔으면 은행에서 볼일을 볼 수 있**었을 텐데**.
- 밖이 조용했으면 잠을 잘 **잤을 텐데**.
- 천천히 골랐다면 좋은 물건을 고를 수 있**었을 텐데**.
- 서두르지 않았다면 실수하지 않**았을 텐데**.
- 버스가 제시간에 왔으면 지각을 하지 않**았을 텐데**.
- 계속했으면 좋은 선수가 되**었을 텐데**.
- 우유를 많이 먹었더라면 키가 좀 더 자**랐을 텐데**.
- 노래 연습을 계속 했다면 가수가 되**었을 텐데**.
- 화를 내지 않았다면 지금까지 친구로 지내고 있**었을 텐데**.
- 수업을 계속 들었다면 한국어를 잘할 수 있**었을 텐데**.
- 서둘렀으면 기차를 탈 수 있**었을 텐데**.
- 라면에 달걀을 넣었으면 더 맛있**었을 텐데**.

에 비해서

의미 MEANING

앞의 명사가 비교의 대상이 되어 뒤 내용과 같은 평가가 있음을 나타낼 때 사용한다.
'에 비해'라고도 쓸 수 있다.

'에 비해서' is used to compare the preceding noun with the following noun about the same topic. '에 비해' can also be used.

예문 EXAMPLE

- 시골은 도시**에 비해서** 공기가 깨끗해요.
- 노인은 청년**에 비해서** 건강 문제에 관심이 많다.
- 운동화는 구두**에 비해** 발이 편하다.
- 태블릿은 핸드폰**에 비해** 화면이 더 크다.
- 귤은 수박**에 비해** 비타민 C가 풍부하다.
- 부모 세대는 자식 세대**에 비해서** 결혼과 출산을 중요하게 생각하는 것 같아요.
- 한국 음식은 고향 음식**에 비해** 짠 것 같아요.
- 우리 동네는 다른 동네**에 비해** 아파트가 많은 것 같아요.
- 올해는 작년**에 비해** 눈이 많이 와요.
- 나이가 많은 사람들은 젊은 사람들**에 비해서** 건강에 관심이 많은 것 같아요.
- 우리 나라는 한국**에 비해** 여름에 비가 많이 와요.

-아야지 / 어야지

의미 MEANING

다른 사람에게 어떤 일을 해야 한다거나 어떤 상태여야 함을 말할 때 혹은 말하는 사람이 의지를 가지고 어떤 일을 하려고 할 때 쓴다.

'-아야지/어야지' is used to tell another person to do something or to be in a particular state of mind. It is also used when the speaker has the will to try to do something.

예문 EXAMPLE

- 친구들과의 관계를 매우 중요하게 생각**해야지**.
- 특히 초등학교 근처에서 운전을 조심**해야지**.
- 건강을 지키며 일을 **해야지**.
- 내일부터 시험 기간인데 열심히 공부**해야지**.
- 건강할 때 체력을 **길러야지**.
- 결혼을 하면 아이를 낳**아야지**.
- 친구와 사이좋게 지내**야지**.
- 혼자서도 잘 먹고 잘 지내**야지**.
- 협력하며 일하는 직장을 만들**어야지**.
- 다른 세대를 이해**해야지**.
- 영수야 밥 먹고 가**야지**.
- 오늘 저녁에 이 책을 읽**어야지**.

-는지/(으)ㄴ지 알다, 모르다

의미 MEANING

어떤 내용에 대해 알거나 모르는 것을 말할 때 쓴다.

'-는지/(으)ㄴ지 알다, 모르다' is used to tell whether a speaker knows a particular thing or not.

예문 EXAMPLE

- 그 친구가 무슨 음식을 좋아하**는지 알아요**?
- 캠핑 도구를 어디에서 파**는지 알아요**?
- 제주도에 뭐가 유명**한지 알아요**?
- 그 사람은 왜 회사를 그만뒀**는지 몰라요**.
- 보고서 제출 마감일이 언제였**는지 알아요**?
- 우리 반에서 누가 노래를 잘하**는지 알아요**?
- 한국 사람들이 설날에 먹는 음식이 무엇**인지 알아요**?
- 학교 식당의 위치가 어디**인지 몰라요**.
- 세종학당의 다음 학기 개강 날짜가 언제**인지 알아요**?
- 시장에 어떻게 가**는지 알아요**?
- 한국 사람들은 사진을 찍을 때 뭐라고 하**는지 알아요**?
- 박물관이 몇 시에 문을 닫**는지 알아요**?

-는다면서요? / ㄴ다면서요? / 다면서요?

의미 MEANING

들어서 아는 어떤 사실을 상대방에게 확인하기 위해 물어볼 때 쓴다.

'-는다면서요?/ㄴ다면서요?/다면서요?' is used to ask and confirm something heard from others.

예문 EXAMPLE

- 이번 주말에 제주도에 **간다면서요**?
- 집에서 취미로 과자를 만**든다면서요**?
- 한국에서는 쓰레기를 배출할 때 쓰레기 봉투를 따로 구입해야 **한다면서요**?
- 한국에서는 집 안에서 신발을 벗고 생활**한다면서요**?
- 한국에서는 처음 만나는 사람에게는 높임말을 **쓴다면서요**?
- 한국에서는 나이 많은 사람들의 경험과 지혜를 중요하게 생각**한다면서요**?
- 한국에서는 가족을 부르는 말이 다양하**다면서요**?
- 다음 주부터 생필품 가격이 오**른다면서요**?
- 한국에서는 아기가 태어나자마자 한 살이 **된다면서요**?

-는 데에

의미 MEANING

주로 '도움이 되다, 효과가 있다, 시간이 걸리다, 필요하다' 등의 앞에 쓰여, 그 대상이나 목적이 됨을 나타낼 때 쓴다.

'-는 데에' usually comes before '도움이 되다, 효과가 있다, 시간이 걸리다, 필요하다,' indicating a purpose for doing a particular thing.

예문 EXAMPLE

- 유학을 가**는 데에** 필요한 정보를 알려 주는 일을 해요.
- 건물을 짓**는 데에** 사용되는 재료를 판매하는 일을 해요.
- 반려동물을 기르**는 데에** 많은 노력이 필요해요.
- 이 차는 마음을 안정시키**는 데에** 매우 효과적이에요.
- 선생님의 조언이 진로를 결정하**는 데에** 큰 영향을 미쳤어요.
- 컴퓨터 자격증을 따**는 데에** 시간이 오래 걸려요.
- 회사를 취직하**는 데에** 많은 노력이 필요해요.
- 여행하**는 데에** 시간과 돈이 많이 들어요.
- 오랜 친구로 지내**는 데에**는 이해가 중요해요.
- 운동을 잘하**는 데에**는 꾸준한 훈련이 필요해요.
- 사람들의 생활을 더욱 편리하게 만드**는 데에** 도움이 되는 일을 하고 있습니다.
- 산불로 인한 피해가 회복되**는 데에** 오랜 시간이 걸렸다.

-다 보니

의미 MEANING

앞에 나오는 일을 하는 과정에서 어떤 상태가 되었거나 새로운 사실을 알게 되었을 때 쓴다.

'-다 보니' is used when a speaker realizes new facts or is in a particular state while doing the preceding action.

예문 EXAMPLE

- 한국에 살**다 보니** 매운 음식도 잘 먹게 되었다.
- 선생님의 설명을 듣**다 보니** 이해가 되기 시작했다.
- 오랜만에 만난 친구와 이야기하**다 보니** 시간이 가는 줄도 몰랐다.
- 한 직장에서 열심히 일하**다 보니** 퇴직할 때가 되었다.
- 항공관제사로 20년 넘게 일하**다 보니** 이 일은 무엇보다 빠르고 정확한 판단력을 갖추는 게 가장 중요하다는 것을 알게 되었습니다.
- 고객들에게 최고의 서비스를 제공하기 위해 노력하**다 보니** 매출이 올랐다.
- 사람들이 원하는 음식을 만들**다 보니** 성공할 수 있었다.
- 계속 걷**다 보니** 고민이 사라졌다.
- 정신없이 지내**다 보니** 한 달이 다 갔다.

-는다는/ㄴ다는/다는 점에서

의미 MEANING

앞에 인용한 내용이 뒤의 판단에 근거가 됨을 나타낸다.

'-는다는/ㄴ다는/다는 점에서' expresses that the preceding quotation becomes the reason for the following decision.

예문 EXAMPLE

- 세종대왕은 한글을 만들었**다는 점에서** 한국 사람들의 존경을 받는다.
- 인간은 문자를 사용**한다는 점에서** 동물과 구별된다.
- 나는 나를 진심으로 걱정해 주는 사람이 있**다는 점에서** 운이 좋은 사람이다.
- 태양 에너지는 환경 오염을 줄일 수 있**다는 점에서** 매우 중요하다.
- 한국어는 높임말과 반말이 있**다는 점에서** 영어와 차이가 있다.
- 민수 씨는 항상 열심히 노력**한다는 점에서** 존경할 만해요.
- 수지 씨는 활발하고 솔직하**다는 점에서** 친구들에게 사랑을 받아요.
- 이번 실험은 세계에서 처음으로 성공했**다는 점에서** 의미가 있다.
- 그분은 많은 생명을 구했**다는 점에서** 사람들의 존경을 받는다.

-(으)ㄴ 결과

의미 MEANING

앞에 나오는 일을 한 후에 뒤의 내용의 결과로 마무리되었다는 것을 나타낸다.

'-(으)ㄴ 결과' expresses that the preceding action results in the following content.

형태/기능 FORM/FUNCTION

'-(으)ㄴ 결과로', '-(으)ㄴ 결과이다'의 형태로도 사용한다.

It is also used in the form of '-(으)ㄴ 결과로,' '-(으)ㄴ 결과이다.'

예문 EXAMPLE

- 매일 밤늦게까지 컴퓨터 게임을 **한 결과** 성적이 많이 떨어졌다.
- 약을 꾸준히 먹**은 결과** 병이 빨리 나았다.
- 선수들이 열심히 노력**한 결과** 대회에서 우승했다.
- 아인슈타인은 실패를 반복하면서도 포기하지 않**은 결과** 새로운 물건을 발명했다.
- 나이팅게일은 많은 사람의 생명을 구하기 위해 최선을 다**한 결과** 많은 간호사들의 모범이 되었다.
- 뛰어난 상상력으로 자신만의 그림을 그**린 결과** 훌륭한 예술 작품을 남겼다.
- 그는 열심히 노력**한 결과**로 성공할 수 있었다.
- 그가 성공한 것은 열심히 노력**한 결과**이다.
- 끊임없이 도전**한 결과** 마침내 신기록을 세우게 되었다.
- 물건을 자세히 살펴 **본 결과** 고장난 곳을 찾을 수 있었다.

-(으)ㄹ수록

의미 MEANING

앞에 나오는 상황이나 정도가 점점 심해지고 그에 따라 뒤에 나오는 내용도 점점 변화함을 나타낼 때 쓴다.

'-(으)ㄹ수록' is used when the preceding situation or a degree becomes more severe, and the following content changes accordingly.

예문 EXAMPLE

- 처음에는 몰랐는데 재민 씨는 만**날수록** 재미있는 사람인 것 같아요.
- 이 가수의 노래는 들**을수록** 점점 더 좋아져요.
- 시간이 **갈수록** 노인 인구가 증가하고 있어요.
- 김치가 맵기는 하지만 먹**을수록** 맛있는 것 같아요.
- 인터넷이 발달**할수록** 책을 읽는 사람들이 줄어들고 있어요.
- 운동을 하면 처음에는 힘들지만 **할수록** 익숙해져서 괜찮아요.
- 내 친구는 **알수록** 멋있는 사람이에요.
- 시간이 **갈수록** 환경오염이 심해져요.
- 요즘은 **갈수록** 텔레비전 대신에 인터넷 방송을 보는 사람이 많아지는 것 같아요.
- 과학이 발달**할수록** 사람들의 삶이 편리해져요.
- 요리를 **할수록** 요리 실력이 늘어요.

-(으)나

의미 MEANING

앞에 나오는 내용과 뒤에 나오는 내용이 반대되는 내용임을 나타낸다.

'-(으)나' expresses that the preceding content is contrary to the following content.

형태/기능 FORM/FUNCTION

일반적으로 '-(으)나'는 말하기나 일상적인 상황에서보다는 쓰기나 격식적인 상황에서 더 많이 사용된다.

'-(으)나' is usually used in writing or formal speech rather than in everyday speaking or informal speech.

예문 EXAMPLE

- 동생은 노래를 잘 부르**나** 나는 잘 부르지 못한다.
- 이 구두는 디자인이 예쁘**나** 발이 편하지 않다.
- 친구를 한 시간 동안 기다렸**으나** 오지 않았다.
- 여러 번 시도했**으나** 합격하지 않았다.
- 어제는 기분이 좋았**으나** 오늘은 나빠 보였다.
- 요즘에는 현금으로 결제하는 사람은 줄어들고 있**으나** 카드로 결제하는 사람은 늘고 있다.
- 예전에는 아이를 많이 낳았**으나** 요즘은 한 명만 낳거나 낳지 않는 사람들이 늘어나고 있습니다.
- 4인 가구는 줄어들었**으나** 1인 가구는 늘어났다.
- 어제는 날씨가 흐렸**으나** 오늘은 구름이 걷히겠습니다.

-는다고/ㄴ다고/다고 생각하다

의미 MEANING

앞에 나오는 자신의 생각이나 의견을 표현할 때 쓴다.

'-는다고/ㄴ다고/다고 생각하다' is used to express someone's thought or opinion.

예문 EXAMPLE

- 과일을 싸게 사려면 전통 시장에 가는 것이 좋**다고 생각해요**.
- 한국 여행 장소로 제주도가 좋**다고 생각해요**.
- 다이어트 방법으로 운동이 좋**다고 생각해요**.
- 공기가 맑은 곳에서 지내고 싶다면 시골에서 사는 게 좋**다고 생각해요**.
- 케이블카를 설치하면 자연환경이 파괴**된다고 생각해요**.
- 케이블카를 설치하면 편하게 산에 올라갈 수 있어서 어린이들이나 어르신들한테 도움이 **된다고 생각해요**.
- 휴대폰 사용이 눈에 안 좋**다고 생각해요**.
- 저는 아이들이 어른들보다 외국어를 빨리 배**운다고 생각해요**.
- 저는 서울의 집값이 매우 비싸**다고 생각해요**.

-는/(으)ㄴ 거 아닐까 하다

의미 MEANING

앞에 나오는 자신의 생각이나 의견을 확실하지 않은 것처럼 약하게 표현할 때 쓴다.

'-는/(으)ㄴ 거 아닐까 하다' is used to express someone's thought or opinion in a weak tone as if it was not sure.

예문 EXAMPLE

- 현재의 삶에 만족할 때 행복을 느낄 수 있**는 거 아닐까 해요**.
- 내 주장의 근거가 부족해서 그를 설득하지 못**한 거 아닐까 한다**.
- 오늘 경기의 관건은 두 감독의 전략에 달**린 거 아닐까 해요**.
- 인터넷 실명제 때문에 글을 쓰는 분위기가 사라지는 부작용이 생기**는 거 아닐까 해요**.
- 인터넷 실명제가 악플의 해결책이 되지는 못하**는 거 아닐까 해요**.
- 날씨가 추워져서 감기 환자가 증가**한 거 아닐까 해요**.
- 유진 씨는 아르바이트 한 돈으로 한국에 가려고 하**는 거 아닐까 해요**.
- 운동을 안 해서 살이 **찐 거 아닐까 해요**.
- 아직까지 잠을 자고 있**는 거 아닐까 해요**.

-지 않을까 싶다

의미 MEANING

미래의 불확실한 계획이나 상황을 표현할 때 쓴다.

'-지 않을까 싶다' is used to express a tentative plan or situation in the future.

예문 EXAMPLE

- 유학이 끝난 후에 바로 고향으로 돌아가야 하**지 않을까 싶어요**.
- 내년에는 회사를 옮기**지 않을까 싶어요**.
- 소포가 내일이면 도착하**지 않을까 싶어요**.
- 세계사를 공부하면 좋**지 않을까 싶어요**.
- 여행 가서 탈 차는 가서 알아봐도 되**지 않을까 싶어요**.
- 면접은 아무래도 합격하기 힘들**지 않을까 싶어요**.
- 내년에는 취직 준비를 하느라고 많이 바쁘**지 않을까 싶어요**.
- 이미 늦었다고 생각하며 도전을 두려워하고 있다면 반드시 이 책을 읽어 봐야 하**지 않을까 싶어요**.
- 저는 5년 후에 사업을 시작하**지 않을까 싶어요**.
- 아무래도 작년보다 지원자가 많**지 않을까 싶습니다**.

-기보다는

의미 MEANING

앞에 나오는 내용이 아니라 뒤에 나오는 내용을 선택함을 나타낼 때 쓴다.

'-기 보다는' is used to state a preference expressing that the following content is better than the preceding one.

예문 EXAMPLE

- 친구한테 메시지를 보내**기보다는** 전화해요.
- 쇼핑하는 게 귀찮**기보다는** 즐거워요.
- 화가 나는 일이 있으면 혼자 참**기보다는** 직접 말해요.
- 저는 5년 후 쯤이면 창업을 하**기보다는** 입사한 회사를 열심히 다니고 있지 않을까 싶어요.
- 저는 10년 후에는 가정을 이루**기보다는** 새로운 일에 도전하고 있지 않을까 싶어요.
- 졸업한 후에 회사에 취직하**기보다는** 친구들하고 작은 가게를 차리고 있지 않을까 싶어요.
- 나이가 들면 도시에서 살**기보다는** 시골에 내려가 지내고 있지 않을까 싶어요.
- 저는 졸업하면 일을 시작하**기보다는** 대학원에 진학하고 싶어요.
- 약만 먹**기보다는** 병원에 한번 가 보는 게 어때요?

-는다니 / ㄴ다니 / 다니

의미 MEANING

앞에 나오는 뜻밖의 내용에 대해 놀라움이나 감탄을 표현할 때 쓴다.

'-는다니/ㄴ다니/다니' is used to express surprise or exclamation because of the unexpected preceding action or state.

예문 EXAMPLE

- 벌써 10시가 넘었**다니**! 시간이 정말 빠르네요.
- 사람이 이렇게 빨리 헤엄치**다니**! 사람인지, 물고기인지 내 눈을 믿을 수가 없네.
- 내가 이렇게 맛있는 요리를 만들**다니**! 저도 요리에 재능이 있는 거 맞죠?
- 집 근처에 이렇게 좋은 곳이 있었**다니**! 여기를 지금까지 왜 몰랐을까요?
- 여기가 이렇게 많이 변하**다니**! 제가 너무 오랜만에 왔나 봐요.
- 세상에 이렇게 아름다운 곳이 있**다니**!
- 벌써 졸업을 한**다니**. 시간이 정말 빠른 것 같습니다.
- 이걸 손수 만들었**다니**. 실력이 정말 대단하네요.

-기를 바라다

의미 MEANING

앞에 나오는 내용이 일어나기를 희망한다는 것을 표현할 때 쓴다.

'-기를 바라다' is used when a speaker wants the previously mentioned action or state to happen.

형태/기능 FORM/FUNCTION

'바래요'라고 말하고 쓰는 경우가 많다. 그러나 '바라요'가 맞춤법에 맞는 정확한 표현이다.

'-바래요' is used frequently, but '-바라요' is the grammatically correct expression.

예문 EXAMPLE

- 유진 씨가 이번 시험에 꼭 합격하**기를 바랍니다**.
- 부모님께서 건강하게 오래 사시**기를 바랍니다**.
- 이번 모임에 꼭 참석해 주시**기를 바랍니다**.
- 회사에서 잘 지내**기를 바라요**.
- 너의 미래가 행복하**기를 바라**.
- 우리 반 친구들 모두가 한국어 수업을 끝까지 듣**기를 바라요**.
- 다시 너를 만날 수 있**기를 바라**.
- 이 콘서트를 한 번 더 볼 수 있**기를 바라요**.
- 모두 건강하게 지내다가 언젠가 꼭 다시 만나**기를 바라겠습니다**.
- 어린이와 같은 순수함을 잃지 않**기를 바랍니다**.
- 올해 좋은 일이 많이 생기**기를 바라**.

부록

색인 1

Index
(in Korean alphabetical order)

4B

1부. 어휘와 표현

2부. 문법

색인 2

Index
(in English alphabetical order)

4B

※ 이 교재는 산돌폰트 외 Ryu 고운한글돋움OTF, Ryu 고운한글바탕OTF 등을 사용하여 제작되었습니다. Ryu 고운한글돋움OTF, Ryu 고운한글바탕OTF 서체는 서체 디자이너 류양희 님에게서 제공 받았습니다.

세종한국어 | 어휘·표현과 문법 4B

문화체육관광부
국립국어원

(07511) 서울 강서구 금낭화로 154
전화: +82(0)2-2669-9775
전송: +82(0)2-2669-9747
홈페이지 http://www.korean.go.kr

기획•담당	박미영	국립국어원 학예연구사
	조 은	국립국어원 학예연구사
책임 집필	이정희	경희대학교 국제교육원 교수
공동 집필	최은지	원광디지털대학교 한국어문화학과 교수
	김금숙	상지대학교 한국어문화학과 조교수
	김민경	고려대학교 교양교육원 초빙교수
	김가람	전북대학교 교과교육연구소 연구교수
집필 보조	김민아	서울대학교 국어교육과 박사수료
	김지예	고려대학교 교양교육원 강사
	정성호	경희대학교 국어국문학과 박사수료
	서유리	경희대학교 국어국문학과 박사과정
번역 감수	변우영	오하이오주립대학교 동아시아어문학과 부교수

초판 1쇄 인쇄 2022년 8월 15일
초판 1쇄 발행 2022년 9월 1일

ISBN 978-89-97134-45-8 (14710)
ISBN 978-89-97134-21-2 (세트)

출판•유통 공앤박 주식회사(www.kongnpark.com)
(05116) 서울시 광진구 광나루로56길 85, 프라임센터 1518호
전화: +82(0)2-565-1531
전송: +82(0)2-3445-1080
전자우편: info@kongnpark.com

총괄 | 공경용
책임 편집 | 이유진, 이진덕, 여인영
영문 편집 | 성수정, Kassandra Lefrancois-Brossard
아트디렉팅 | 오진경
디자인 | 이종우, 서은아, 이승희
제작 | 공일석, 최진호
IT 지원 | 손대철, 김세훈
마케팅 | Sung A. Jung, Paulina Zolta, 윤성호

Sejong Korean

VOCABULARY & GRAMMAR BOOK

ISBN 978-89-97134-45-8
ISBN 978-89-97134-21-2 (세트)

www.kongnpark.com

값 4,000원

세종 한국어

Vocabulary & Grammar Book

어휘 · 표현과 문법

2B